LES PLUS BEAUX CONTES DU MONDE

L'Apprenti sorcier

raconté par MARLÈNE JOBERT

EDITIONS
ATLAS

Éditions Glénat
Couvent Sainte-Cécile
37, rue Servan
38000 Grenoble

© Éditions Atlas, MMV
© Éditions Glénat, pour l'adaptation, MMXI
Tous droits réservés pour tous pays

Avec la participation de Marlène Jobert
Illustrations : atelier Philippe Harchy
Photo de couverture : Éric Robert/Corbis
Prépresse et fabrication : Glénat Production

Achevé d'imprimer en février 2011 en Italie par Europrinting S.p.A.
Via Mascagni, 12
20080 Casaril
Dépôt légal : mars 2011
ISBN : 978-2-7234-8131-1

Loi n°49-956 du 16 juillet 1949 sur les publications destinées à la jeunesse.

I l était une fois un très grand et bon sorcier qui accomplissait les tours les plus merveilleux qui soient. Sa puissance était très grande. Il vivait dans un vieux château tout en haut d'une montagne.

Il ne se servait de son pouvoir que pour faire le bien, ce qui l'avait rendu célèbre, respecté et aimé de tous.

Les villageois allaient le trouver lorsqu'ils étaient en difficulté,
et il exauçait toujours les vœux qui lui semblaient justes.
Il pouvait soigner les gens et les bêtes, il savait changer le métal en or
et les larmes en diamants ; il n'avait pas son pareil pour préparer
un philtre d'amour, ou se rendre invisible, ou arrêter la pluie !
Mais il y avait une chose qu'il n'arrivait pas encore à faire,
c'était prédire l'avenir.
- *Les diseuses de bonne aventure sont des menteuses,*
c'est un art très délicat et très compliqué ! bougonnait-il.
C'était pourtant un pouvoir bien utile ! Aussi passait-il des nuits et
des nuits à chercher la formule exacte, et ce projet lui prenait du
temps, beaucoup, beaucoup de temps.

Alors, il décida de se trouver quelqu'un pour l'assister.

Dans le village vivait justement un jeune homme nommé Cyrius qui ne rêvait que d'une seule chose : devenir magicien !

Il faisait bien quelques petits tours de passe-passe auprès de ses amis, mais ça ne lui suffisait pas ! Lui, ce qu'il voulait, c'était accomplir de grandes choses, des sortilèges fabuleux, des miracles fantastiques qui émerveilleraient petits et grands !
Alors, évidemment, quand il apprit que le sorcier cherchait un assistant, il se rendit immédiatement sur la montagne au château mystérieux. Il fit une révérence au sorcier, se présenta et lui dit :
*- J'aimerais tellement vous aider dans vos travaux, monsieur :
je suis travailleur et adroit, et et ... et j'ai beaucoup d'admiration pour vous.*
Le garçon avait un visage si lumineux et sincère que le sorcier le prit avec lui.

Malheureusement, Cyrius fut vite déçu !

Le sorcier l'employait surtout à laver ses fioles et ses alambics,
à cueillir des herbes dans la forêt et à balayer son atelier.

Il ne le laissait jamais approcher de sa tour secrète où il cachait
ses livres de magie.

Ah ! cette tour secrète et interdite ! Le vieux magicien s'y enfermait
pendant des heures et des heures, avec pour seule compagnie un
vieux hibou aux yeux roses.

Le jeune garçon n'avait bien sûr qu'une envie : y pénétrer !

Et un jour il avoua en soupirant :

*– Oh ! maître ! Moi, ce que je veux par-dessus tout, c'est accomplir
de grandes choses, des sortilèges merveilleux, des miracles
fantastiques. Je veux jeter des sorts, préparer des potions et jouer
avec les maléfices comme vous, comme, comme un grand sorcier !*

*– Jouer ? Hum ! Jouer ! Eh bien si tu es patient et persévérant,
si tu m'écoutes et que tu m'obéis, je veux bien t'enseigner mon art.*

Cyrius poussa un cri de joie.

Et c'est ainsi que tous les soirs, une fois son travail terminé,
le sorcier lui apprit des tours. Il lui apprit comment changer la couleur
des plumes d'un oiseau, comment allumer une bougie à distance,
et même comment transformer le sel en poivre, et vice versa !

Attentif et appliqué, Cyrius fit rapidement des progrès.
Mais un jour il demanda :
- *Maître, apprenez-moi des tours encore plus grands. Par exemple,*
ce tour que vous faites si souvent, lorsque vous donnez la vie aux
objets. Comme hier, avec la théière !
La réponse de l'enchanteur fut très ferme :
- *Non Cyrius, non ! Donner vie aux objets est un exercice,*
un exercice très délicat, et même... dangereux ! Et tu n'es pas
encore prêt pour cela. Patience, petit, patience.

L'apprenti fut très déçu.

Un midi, alors qu'il balayait la cave, son maître vint le trouver :
- *Cyrius, Cyrius, je crois avoir trouvé la réponse à mes recherches secrètes ! Avant tout, pour mon expérience, j'ai besoin d'eau, de beaucoup d'eau.* Il claqua des doigts, et un immense chaudron apparut au centre de la pièce…

- *Voilà ta mission du jour : va chercher de l'eau avec ton seau au ruisseau, juste derrière le château, et remplis-moi ce chaudron. Moi, je dois m'absenter pour aller chercher un ingrédient rare et très important : des racines de mandragore ! À mon retour, je veux le chaudron bien plein, rappelle-toi !*

Cyrius le regarda s'éloigner puis prit le seau et partit au ruisseau. Mais, au retour, il suait déjà à grosses gouttes !

- *Pffff ! Je vaux bien mieux que de porter de l'eau !* pensa-t-il
tristement. Il regarda le chaudron, puis le seau, puis le chaudron,
puis le seau, et soudain son visage s'illumina :
- *Eh mais... mais me voilà seul ! Si j'essayais cette magie que mon
maître m'interdit ! Hein ? Elle est enfin à ma portée ! Moi aussi je
vais donner vie aux objets !*
Il courut alors jusqu'à la fameuse tour défendue... et, quelle chance,
le magicien avait oublié de fermer la porte !
- *À moi sortilèges et puissance !*

Et il se mit à feuilleter fiévreusement l'énorme livre de recettes
magiques... sous l'œil sévère du vieux hibou aux yeux roses,
qui ne semblait pas du tout approuver sa conduite.

Enfin, il trouva la formule qu'il cherchait.

- *Pour donner vie à un objet inanimé, voilà, pointez l'objet de deux doigts en prononçant bien fort : Machinouguili, Machinouguilou, Saperliponimi, Saperliponimou ! Oh ! mais c'est, mais... c'est archi facile !*

Se tournant vers le balai qu'il avait posé dans un coin, il pointa les doigts, prononça les mots magiques, et aussitôt, ô miracle, le balai se dressa !

- *Parfait ! Approche, mon vieux balai, tu vas m'obéir maintenant. Prends ce seau et vole jusqu'au ruisseau. Tu dois me remplir l'immense chaudron qui est en bas, allez va !*

Et le balai, désormais docile valet, s'envola par la fenêtre !
Moins d'une minute plus tard, il était de retour, portant comme si cela ne pesait rien le gros seau rempli d'eau.
Il le versa soigneusement dans le chaudron... et repartit !

Fou de joie, Cyrius se mit à frapper dans ses mains et à danser sur place ! Il s'amusait à prendre une grosse voix et à bouger les doigts comme il avait vu son maître le faire ! Oh ! comme c'était amusant de jouer au grand sorcier !

- Mais que disait ce vieux fou ? C'est un jeu d'enfant !
Quand il rentrera, je lui montrerai tout mon pouvoir,
ah ah ah, et il sera fier de moi !

Puis il se remit à danser, et bientôt il sentit que ses pieds étaient tout trempés. Il baissa les yeux : mais d'où venait cette grande flaque sur le sol ? Il se retourna : non seulement le chaudron était déjà bien plein... mais il avait commencé à déborder ! Eh oui ! Puisque personne n'avait ordonné au balai enchanté de s'arrêter, il poursuivait aveuglément sa mission : il remplissait, remplissait, remplissait, remplissait le chaudron !

- Holà, balai mon ami, c'est suffisant, arrête maintenant, arrête !
Nous avons assez d'eau, arrête ! Mais pourquoi ne t'arrêtes-tu pas
quand je te le demande ? Oh... mais bien sûr, il me faut la formule
pour te désenchanter !

Cœur battant, Cyrius monta quatre à quatre les escaliers de la tour.
Il tourna les pages en tremblant.
- Ah ! Voilà ! Pour désenchanter un objet animé, pointez trois doigts
en prononçant bien fort : Machinouguili, Machinouguilou,
Saperliponimi, Sapermachi-gronvun... kalomimun...clac-o vi... !
Oh ! Quoi ? Mais, ce dernier mot est imprononçable !

Eh oui ! Cyrius venait de comprendre pourquoi son maître lui avait
dit que cet exercice était si difficile et qu'il demandait tant de temps
et d'entraînement. Il essaya malgré tout de prononcer le mot,
mais plus il essayait, plus il s'embrouillait... et moins les mots
étaient compréhensibles !

Pendant ce temps le diabolique balai continuait à faire déborder le chaudron, et dans la pièce l'eau commençait à monter, monter, monter. Tant pis pour la formule !
Pris de panique, Cyrius saisit une hache dans le tas de bois, retourna vers l'infernal balai, et Crash ! Crish ! Crash ! il le coupa en trois…
Ouf ! C'était fini. Enfin, c'est ce que crut Cyrius.

À peine eut-il repris son souffle… que les trois morceaux de balai se redressèrent : trois nouveaux valets à l'image du premier apparurent soudain pour reprendre leur marche impitoyable !
Pire, les balais semblaient s'amuser à qui arriverait le premier au ruisseau. À peine l'un avait-il plongé son seau dans le courant de l'eau qu'un autre était déjà revenu au château en un éclair pour remplir le chaudron !

Et courant, volant, rapportant de l'eau de plus en plus vite,
les balais finirent par déclencher un véritable torrent, qui ne cessait
de submerger une à une les pièces…

L'eau montait, montait, montait, et le château entier menaçait d'être
inondé par ce déluge. Le hibou, affolé, s'était envolé, pour se percher
tout là-haut au sec, sur une poutre du toit. Mais notre apprenti sorcier,
lui, ne savait pas voler ! Les flots se répandaient avec force,
et d'immenses vagues bouillonnaient comme en pleine tempête.

Désespéré et à bout de forces, Cyrius se mit à crier :
- *Maudits manches à balai, créatures de l'enfer, arrêtez, mais arrêtez donc ! Pitié ! je ne suis qu'un pauvre apprenti sorcier ! Oh ! maître, mon puissant maître, où êtes-vous, au secours, sauvez-moi !*

Une dernière vague, plus haute que les autres, l'emporta !
Cyrius ne savait pas nager, allait-il finir noyé ?

Heureusement, au même instant sur la route, le vieux sorcier rentrait. En s'approchant de chez lui, il eut un mauvais pressentiment, et en effet ce qu'il vit ensuite le stupéfia : de l'eau sortait par les fenêtres de son château ! Et, en entendant les cris de son apprenti, il comprit tout de suite ce qui s'était passé.

Il claqua des doigts et se retrouva à l'intérieur.
Son regard sévère et furieux lança des éclairs…

Il brandit son bâton en prononçant d'une voix claire et
puissante la bonne formule.

Et, en instant, les diaboliques balais s'arrêtèrent, et quelques
secondes après l'eau s'était évaporée. Il ne restait plus sur le sol
que quelques flaques et… un sacré désordre !

Cyrius se se jeta aux pieds de son maître, trempé, étourdi, grelottant et rouge de honte !

- Pardon, pardon, mon maître, mon bon maître, je vous ai désobéi, j'ai été prétentieux, j'ai cru que je pourrais maîtriser vos sortilèges, mais j'ai échoué. Les esprits que j'ai réveillés ne m'ont pas écouté ! Punissez-moi, punissez-moi !

Mais le sorcier se contenta de répondre d'une voix calme :

- La grande peur que tu t'es infligée à toi-même t'a déjà bien puni. Allons, lève-toi à présent, et reprenons nos travaux...

La nuit même, ils trouvèrent ensemble le secret qui permettait de prédire le futur.

Les mois passèrent, et le sorcier garda Cyrius auprès de lui.

Et, à ses côtés, le jeune homme apprit patiemment les règles d'or de la sorcellerie. Bientôt, il sut même prononcer parfaitement la formule pour enchanter et désenchanter les objets !

Et un jour, alors qu'il s'entraînait à lire l'avenir dans l'eau,
il vit apparaître sur la surface brillante une image surprenante :
c'était celle d'un jeune homme coiffé d'un grand chapeau et vêtu
d'une belle cape étoilée, comme en portent tous les grands magiciens !
– *Oh mais... mais, mais... c'est moi !* Eh oui, c'était bien lui, Cyrius !
Il venait de lire dans son avenir qu'il deviendrait bientôt un très,
très grand magicien, que ses sortilèges fabuleux, que ses miracles
fantastiques émerveilleraient petits et grands.

Il regarda alors son maître avec un sourire tendre et reconnaissant.

Fin